Kashgar

Cambaluc

Cathay

Cipangu

Kerman

Tibet

Mangi   Zaitun

Calicut

LES GRANDS EXPLORATEURS

MARCO POLO

Texte et illustrations de Piero Ventura et de Gian Paolo Ceserani

GRÜND

GARANTIE DE L'ÉDITEUR
Pour vous parvenir à son plus juste prix, cet ouvrage a fait l'objet
d'un gros tirage. Malgré tous les soins apportés à sa fabrication, il
est malheureusement possible qu'il comporte un défaut
d'impression ou de façonnage. Dans ce cas, ce livre vous sera
échangé sans frais.
Veuillez à cet effet le rapporter au libraire qui vous l'a vendu ou
nous écrire à l'adresse ci-dessous en nous précisant la nature du
défaut constaté. Dans l'un ou l'autre cas, il sera immédiatement
fait droit à votre réclamation.
Librairie Gründ - 60, rue Mazarine - 75006 Paris.

**Adaptation française de Rémi Simon pour le texte et de Séverine
Laborie pour le dossier.**
**Illustrations et texte original de Piero Ventura et Gian Paolo
Ceserani et de Giovanna Spadini pour le dossier.**
Première édition française 1978 par Éditions Fernand Nathan
© 1978 Éditions Fernand Nathan pour l'adaptation française
Édition 1990 par Librairie Gründ
ISBN : 2-7000-4560-2
Dépôt légal : octobre 1990
Édition originale 1977 par Arnoldo Mondadori Editore S.p.A.
sous le titre original « Il viaggio di Marco Polo »
© 1977 Arnoldo Mondadori Editore S.p.A.
Photocomposition : PFC, Dole
Imprimé en Espagne, par Artes Graficas Toledo S.A.
D.L.TO:1388-1990

Loi n° 49-956 du 16 juillet 1949 sur les publications destinées à la
jeunesse.

IL ÉTAIT UNE FOIS, À VENISE...

Voici l'histoire du voyage extraordinaire que fit Marco Polo, son père Niccolò et son oncle Matteo à travers d'innombrables pays jusqu'à la très lointaine Chine, que l'on appelait en ce temps-là Cathay.

Ce voyage, Marco Polo devait le décrire dans un livre qui devint célèbre et que nous connaissons sous le titre : *Livre des merveilles du monde*.

Voici à quoi ressemblait le port de Venise au temps où ce grand voyage était préparé, c'est-à-dire dans la seconde moitié du XIIIᵉ siècle.

Le père et l'oncle de Marco Polo étaient de riches marchands. Toute la prospérité de la ville de Venise dépendait d'ailleurs de son commerce. À part quelques chantiers navals, elle n'avait pas d'industrie.

LES MARCHANDS DE VENISE

Marco Polo naquit à Venise en 1254, fils et neveu de marchands vénitiens riches et illustres. Venise était l'une des grandes villes du monde, surtout connue pour son commerce, ses commerçants, grands hommes souvent nommés ambassadeurs et bien introduits à la cour. C'est justement ce qui arriva à Marco Polo et à Niccolò et Matteo, son père et son oncle, qui, lors de leur premier voyage en Chine, furent somptueusement reçus par le Grand Khan, chef des Mongols.

Pour Venise, le commerce avec l'est était absolument indispensable, la cité n'ayant aucune industrie, à part ses chantiers navals. Bâtie sur une lagune, dans un groupe d'îles très nombreuses et très petites, Venise avait réussi à faire de sa singulière situation géographique sa force principale. Son gouvernement ressemblait à une république, mais il avait un chef suprême, le Doge, qui était élu par les citoyens les plus puissants. Et le pouvoir était aux mains des marchands, qui se réunissaient dans une assemblée présidée par le Doge.

Au temps de Marco Polo, la ville était très riche et très belle. D'innombrables ponts franchissaient une infinité de canaux où se reflétaient des maisons solides et élégantes. Venise envoyait ses vaisseaux dans toute la mer Méditerranée, et aussi plus loin, le long des côtes de l'Afrique ou dans les îles de l'océan Atlantique. Grâce à cette activité maritime, les familles vénitiennes avaient des parents et des amis dans toutes les grandes villes commerçantes.

Quelle pouvait être la vie d'un riche marchand ? Quelle était la vie d'un homme comme Marco Polo ? Comme tous les enfants, d'abord, il allait à l'école. Il étudiait la grammaire et le calcul, lisait la Bible, apprenait à faire les comptes, étudiait aussi les langues étrangères et la géographie.

Mais, à la différence des enfants d'aujourd'hui, il terminait ses études de très bonne heure. Les parents mettaient très tôt les enfants au travail. Embarqués sur un navire (et toutes les familles importantes de Venise en possédaient un), on les envoyait apprendre les secrets du commerce dans les villes où leur famille avait des intérêts. C'était une vie très mouvementée ; les longues attentes pour que souffle un vent favorable à la navigation, ou pour que les brigands abandonnent une région, si Dieu voulait, étaient aussi fatigantes que les interminables marches dans le désert ou la traversée des montagnes. À quarante ans, notre marchand, désormais riche, s'établissait définitivement dans sa patrie où on lui confiait généralement une charge publique.

Ce fut précisément le cas de Marco Polo, qui termina sa vie dans la plus parfaite tranquillité et dans sa Venise natale, à l'âge de soixante-dix ans.

LES ÉPICES ET LA SOIE

De toutes les contrées du monde, la plus intéressante pour les marchands était l'Orient. C'est là que, depuis la plus haute antiquité, s'ouvrait la Route des Indes.

On appelait ainsi cette piste qui, franchissant les montagnes, les déserts, les mers, les fleuves, les lacs immenses, unissait l'Europe à l'Extrême-Orient. Une route légendaire, théâtre d'aventures sans fin, suivie par des caravanes de marchands, de voyageurs ou de pèlerins.

Quel commerce faisait-on par la Route des Indes ? C'était surtout celui des épices. Les épices sont des substances végétales à l'odeur et au goût très forts, que l'on utilise depuis toujours pour donner plus de saveur aux plats. Déjà les anciens Romains en faisaient grand usage, et nous savons aussi qu'en raison de la difficulté de se les procurer, elles coûtaient très cher.

Aujourd'hui, nous utilisons moins les épices, et quelques-unes seulement, comme le poivre ou la cannelle, nous sont familières. Mais à l'époque de Marco Polo, elles avaient encore une très grande importance.

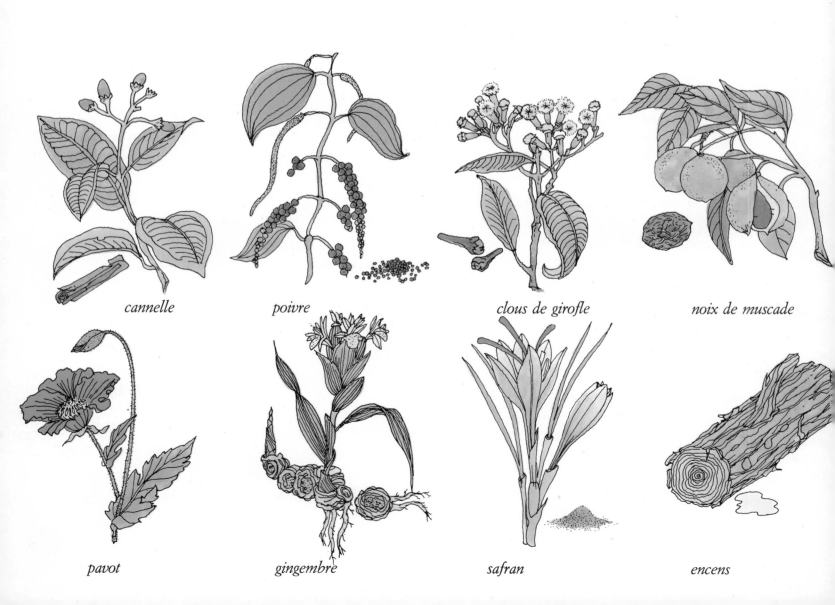

cannelle   poivre   clous de girofle   noix de muscade

pavot   gingembre   safran   encens

En plus des épices, il y avait une chose qui suscitait, depuis l'Antiquité, un très grand intérêt : la soie. On appelait d'ailleurs l'interminable piste que suivaient les caravanes de la Méditerranée à la Chine « la Route de la Soie ». Savez-vous comment on fabrique la soie ? Une petite chenille qui vit sur les feuilles de mûrier, et que l'on appelle précisément « ver à soie », produit un fil continu dont elle entoure complètement son corps pour former son cocon. Du cocon, la chenille sortira transformée en papillon, et le fil du cocon, après avoir subi plusieurs transformations par l'homme, constitue le fil de soie.

Les Chinois furent longtemps les seuls à savoir fabriquer de la soie et ils défendaient jalousement ce qu'ils considéraient comme un secret. Mais, sous le règne de l'empereur romain Justinien, quelques moines réussirent, malgré les défenses très sévères, à rapporter à Rome des œufs de ver à soie, cachés dans un bâton creux. Les moines risquèrent leur vie, mais le secret de la soie fut révélé à l'Europe tout entière.

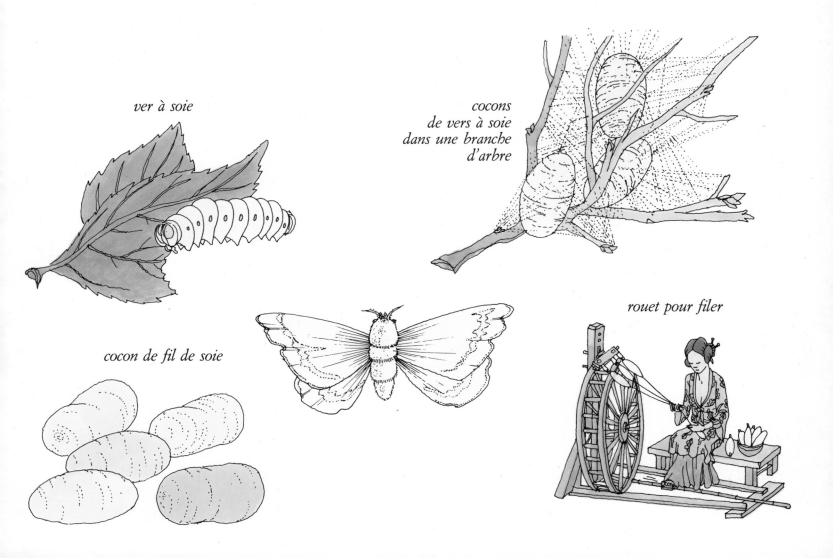

ver à soie

cocons de vers à soie dans une branche d'arbre

cocon de fil de soie

rouet pour filer

LA GRANDE AVENTURE

Marco Polo était fasciné par les histoires que racontaient son père et son oncle sur leurs voyages extraordinaires. Niccolò et Matteo Polo étaient partis de Venise et avaient parcouru le monde. De Constantinople à l'embouchure de la Volga et en traversant la Perse, ils étaient arrivés à Cambaluc, en Chine, où se trouvait la cour de Kubilai, le chef des Mongols.

Dans tous les pays, les splendides habits et les richesses des Vénitiens avaient fait grande impression. En habiles marchands, les deux frères avaient recueilli beaucoup d'informations sur les peuples qu'ils avaient vus et côtoyés, et conclu de bonnes affaires. Ils furent traités avec de grands honneurs par Kubilai, le Grand Khan, un homme intelligent, curieux des coutumes et des cultures étrangères. Ayant entendu parler de la religion chrétienne, il donna aux frères Polo des lettres et des présents pour le pape, en demandant qu'il envoie en Chine des missionnaires.

Quant Niccolò et Matteo revinrent à Venise, une mauvaise nouvelle les attendait : la femme de Niccolò, la mère de Marco, était morte. Quand le voyage avait commencé, Marco Polo était un enfant de six ans ; maintenant, c'était un jeune homme qui n'avait plus de raisons pour rester dans sa patrie. C'est pourquoi, lorsque, deux ans plus tard, son père et son oncle décidèrent de retourner en Chine, avec deux moines envoyés par le pape, il partit avec eux. Son rôle était de prendre des notes sur tous les pays qu'ils traverseraient. C'était en 1271 ; Marco Polo avait dix-sept ans.

Voyager était, à cette époque, une chose assez compliquée. Il ne fallait pas s'étonner qu'un voyage normal durât plusieurs mois. Une grande expédition comme celle qui commençait se comptait en années...

Les routes étaient rares ; quand on le pouvait, on voyageait par mer, malgré le risque de tempête ; c'était, de loin, la façon la plus sûre et la plus rapide. Débarqué dans un port, on continuait le long des pistes avec de longues caravanes. On se déplaçait à cheval, à dos de mulet ou de chameau ou, le plus souvent, à pied. Les caravanes étaient très grandes : il fallait des dizaines d'hommes pour transporter les marchandises et pour constituer l'escorte armée en prévision des rencontres fréquentes de bandits.

Le voyage de Marco Polo commença en bateau : la première étape fut Laïas, un port d'Arménie. Là, Marco resta ébloui par ce vrai marché d'Orient, rempli de marchandises exotiques, de couleurs et de parfums.

DES CITÉS FANTASTIQUES

Le voyage maritime était terminé. Il se poursuivait maintenant à cheval.

La caravane rencontrait des villes aux noms d'histoires merveilleuses : Alep, Samarcande, Boukhara, Bassora, Chiraz, Ispahan, Bagdad... Mais les hautes murailles qui les entouraient prouvaient que la paix ne régnait pas toujours et que là aussi il y avait la guerre.

LE DÉSERT DE GOBI

La caravane voyagea durant plus de trois ans avant d'atteindre le territoire des Mongols. À travers la Perse, les Vénitiens arrivèrent au port d'Ormuz, sur le Golfe Persique, puis, remontant encore au nord, ils atteignirent le Cachemire, traversèrent les montagnes du Pamir et visitèrent la fameuse cité de Samarcande.

Peu après, la caravane dut affronter la terrible traversée du désert de Gobi. Durant près d'un mois, on ne devait plus rencontrer ni eau ni nourriture.

Tout alla cependant pour le mieux et, à la fin de la traversée, il y eut une bonne surprise : une cavalcade de guerriers mongols vint leur souhaiter la bienvenue. Ils étaient sur les terres du Grand Khan.

LES MONGOLS

Lorsque Marco Polo rencontra les Mongols, ceux-ci étaient devenus les maîtres de l'un des plus grands empires de la terre. Leur ancien chef, Gengis Khan, avait réussi à rassembler les diverses tribus mongoles et à organiser une puissante armée ; puis, il avait entrepris une guerre de conquête. Ses armées s'emparèrent de la Chine et attaquèrent même la Russie, occupant la Crimée.

Les guerriers mongols semblaient invincibles.

Leurs armes étaient celles de l'époque, des arcs, des épées, des massues, les mêmes qu'utilisaient tous les soldats de ce temps-là. Mais peu de gens avaient leur courage. C'étaient en outre des cavaliers extraordinaires, habiles à lancer des flèches tournés du côté de la croupe de leur cheval, et leurs montures étaient habilement dressées à faire de brusques voltes qui surprenaient les adversaires.

Sous les successeurs de Gengis Khan, les

Mongols firent même trembler une partie de l'Europe. Ils envahirent l'Allemagne, la Pologne et la Hongrie. Puis, leur soif de conquête sembla s'apaiser.

Les Mongols, nota Marco Polo, étaient des hommes de taille plutôt petite, à la peau olivâtre, au visage large et au nez aplati. Bergers nomades, ils vivaient dans les plaines en hiver et, en été, dans les montagnes et les vallées où se trouvent, en abondance, eau et pâturages. Ils logeaient sous des tentes rondes, faites d'une armature de bois, dissimulée sous des couvertures de feutre. Même si les tentes étaient grandes et imposantes, ils les emportaient avec eux dans leurs voyages.

Les Mongols se nourrissaient surtout de viande, de lait et de légumes verts. Si c'était nécessaire, à la guerre, par exemple, ou en voyage, ils étaient capables de rester dix jours sans manger.

LE GRAND BOUDDHA

À l'époque de Marco Polo, le souverain des Mongols s'appelait Kubilai et la capitale de l'empire était Cambaluc, l'actuel Pékin. En fait, beaucoup de Mongols vivaient alors en Chine, pays qu'ils avaient conquis. Ils avaient appris à vivre dans les villes, comme les Chinois qu'ils dominaient.

La caravane de Marco Polo n'était plus loin du but. À côté de la ville chinoise de Kanshan, les Vénitiens admirèrent un Bouddha sculpté dans la pierre, près d'un monastère : il avait 30 mètres de haut !

CAMBALUC

Au terme de quatre années de voyage, les Vénitiens arrivent à Cambaluc, capitale de l'immense empire mongol.

Cambaluc était une ville très peuplée : les artisans, les marchands, les habitants grouillaient dans ses rues bruyantes. La grande majorité de la population était naturellement chinoise, mais Cambaluc était aussi une ville internationale. Les étrangers habitaient dans des quartiers spéciaux et les Mongols, les maîtres, dans une véritable ville à l'intérieur de la ville. Pensez que la seule garde personnelle du Grand Khan comptait plus de 10 000 hommes !

Pour se présenter à la cour, les trois Vénitiens revêtirent leurs plus beaux habits.

Après avoir aimablement accueilli Niccolò et Matteo, Kubilai voulut se faire raconter le voyage, lut les lettres, reçut les cadeaux du pape et félicita les deux ecclésiastiques.

Puis, il vit Marco et demanda qui il était.

« C'est mon fils », répondit Niccolò, et suivant l'usage du temps, il ajouta : « Il est à votre service si vous le désirez. »

« Il me plaît beaucoup, qu'il soit le bienvenu », répondit Kubilai.

Marco Polo avait presque vingt et un ans et, à partir de ce jour-là, il resta réellement au service du Grand Khan, et cela pendant plus de dix-sept ans.

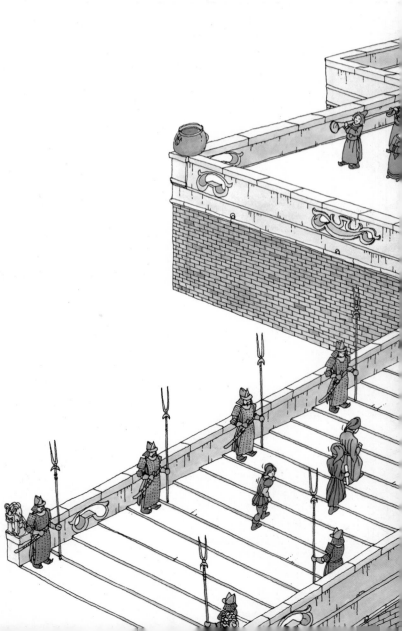

DES JARDINS MERVEILLEUX

Marco Polo fut ébloui par la beauté de la cour impériale : il nous en décrit, avec admiration; les laques chinoises et les murs couverts de feuilles d'or.

Le fameux Mont Vert le frappa beaucoup. Il avait été construit artificiellement et de beaux arbres de toutes les régions de l'empire y poussaient.

NAISSANCE D'UNE GRANDE AMITIÉ

Tant qu'il vécut en Chine, Marco Polo fut traité avec de grands égards : il accompagnait Kubilai aussi bien à la chasse que durant les cérémonies.

Le Grand Khan, nous raconte Marco Polo, possédait des léopards et des lynx dressés pour la chasse au cerf, et des lions dressés pour chasser le sanglier et l'ours. Mais sa grande passion était la chasse au faucon ou à l'aigle, que les Mongols pratiquaient avec beaucoup d'habileté.

Kubilai parlait librement avec Marco de son royaume et de ses problèmes : il lui fallait gouverner les Chinois, un peuple bien plus nombreux que les Mongols et de civilisation plus ancienne et plus raffinée. Le Grand Khan estimait avec sagesse que toutes les civilisations pouvaient apprendre quelque chose à son peuple.

Pour gouverner son immense pays, Kubilai disposait d'un service de communications efficace. La Chine était parcourue de grandes routes, grâce auxquelles des messagers à cheval portaient, à Cambaluc, les nouvelles de partout. Sur les routes, il y avait des stations appelées « relais de poste », où les messagers laissaient les chevaux fatigués et en reprenaient d'autres frais. Il y avait aussi des messagers à pied, qui avaient, à la taille, une ceinture garnie de clochettes, ce qui fait qu'on les entendait arriver de loin.

Kubilai appréciait les dons d'observateur précis et scrupuleux de Marco Polo. Quand le jeune homme connut bien la langue et les mœurs du pays, il lui confia une importante mission à Caragian, une ville située à six mois de voyage. Marco Polo se comporta avec tant de bonheur et sa relation plut tant au Grand Khan qu'il lui donna d'autres charges importantes. Pendant les dix-sept ans qu'il resta au service du roi mongol, Marco Polo voyagea à travers tout l'empire, de sorte qu'il finit par le connaître assez bien.

À TRAVERS LA CHINE

Durant ses voyages, Marco Polo découvrit le haut degré de civilisation auquel étaient arrivés les Chinois. Ceux-ci, socialement plus avancés que les Mongols, mettaient au-dessus de tout le bien-être des citoyens. C'est en Chine que Marco Polo vit pour la première fois de sa vie des billets de banque, dont l'usage était inconnu en Europe. Ils étaient faits en papier très fort et très épais, coupé à la dimension voulue et imprimé.

Mais la plus grande des merveilles était, si l'on en croit Marco Polo, le charbon. « Le charbon est une pierre noire, écrit-il, qui est extraite des montagnes. Une fois qu'il est allumé, il retient le feu beaucoup mieux que le bois, si bien qu'on peut le maintenir durant

toute la nuit et que, le matin, il brûle encore. »

Mais ce qui lui faisait la plus forte impression, c'était encore le pays lui-même, qui se montrait à chaque voyage toujours plus grand et plus riche. Marco Polo notait tout : les villes célèbres pour la soie, celles qui l'étaient pour la porcelaine, d'autres pour le poivre ; il visita des ports où il y avait 15 000 bateaux, des marchés où il y avait 50 000 visiteurs, il séjourna à Ganzhou, la « cité céleste », connue pour sa beauté, il entra dans les temples et les monastères.

Et il nous parle encore des champs dont on ne voit pas la fin, des rizières à perte de vue, des régions qu'il fallait des mois et des mois pour traverser.

LE PAYS DES INVENTIONS

Qu'un grand pays ait besoin de grands travaux, nous le voyons bien dans les descriptions de Marco Polo et nous le croyons volontiers lorsqu'il nous parle des routes chinoises, du développement des postes ou de la parfaite organisation des messagers. Mais dans le *Livre des merveilles du monde*, il parle aussi des techniques chinoises, et c'est, pour nous, d'un très grand intérêt, car c'est justement en Chine que sont nées beaucoup d'inventions. Or, en ce temps-là, l'Europe ignorait presque tout de la Chine.

Marco Polo comprenait aussi que certaines inventions étaient inutiles hors de Chine ; c'est le cas, par exemple, du singulier char à voile, qui demandait de grandes plaines, un vent constant et des routes bien entretenues. Mais quand on avait tout cela à sa disposition, quelle économie !

Beaucoup de découvertes chinoises furent connues en Europe grâce aux Arabes. C'est le cas des lunettes. Les Chinois ont été également les premiers à mettre au point une technique efficace pour fabriquer le papier ou pour l'imprimer.

Ils utilisaient la xylographie, c'est-à-dire la gravure sur bois. D'habiles artisans gravaient,

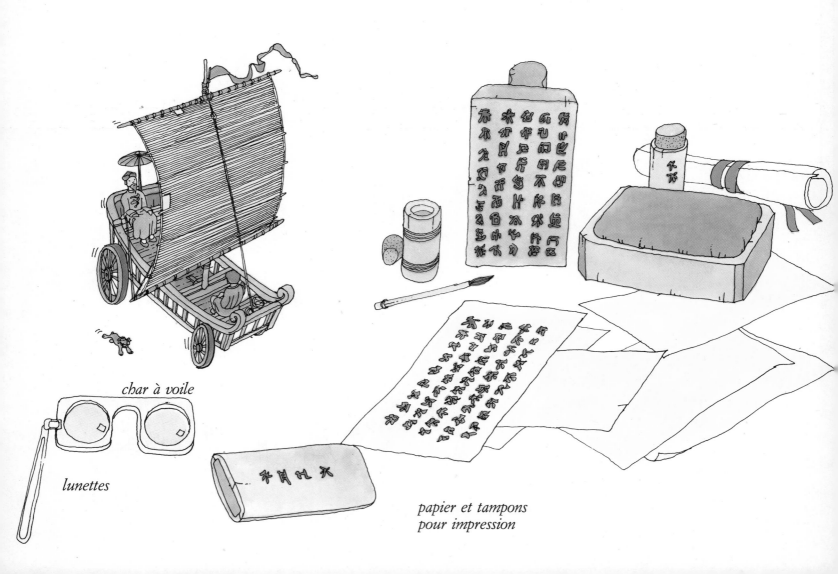

char à voile

lunettes

papier et tampons pour impression

en relief, les caractères chinois sur des planchettes. Puis, on enduisait la tablette d'encre et de cette façon, l'on pouvait imprimer avec une seule matrice – la planchette gravée – jusqu'à 5 000 copies de suite. On le fait encore aujourd'hui.

On dit aussi que ce furent les Chinois qui inventèrent la boussole, un instrument qui n'arriva que très tard en Europe, et il est certain que c'est en Chine que la poudre à canon fut inventée. Elle était déjà connue il y a près de mille ans : un certain Wu Ching Tsung Tao en a écrit la formule dans un livre qui, comme on

s'en doute, a eu une importance considérable pour l'histoire du monde. Les Chinois utilisèrent la poudre à la guerre, en visant les ennemis avec des « flèches de feu », probablement des fusées incendiaires. La poudre à canon fut peut-être apportée en Europe par les Arabes, mais les Chinois demeurèrent les grands spécialistes des fusées, en somme, les ancêtres de nos actuels missiles. Heureusement, les fusées ne servaient pas seulement à la guerre. Les Chinois adoraient les feux d'artifice, l'un des amusements les plus populaires de cet extraordinaire pays.

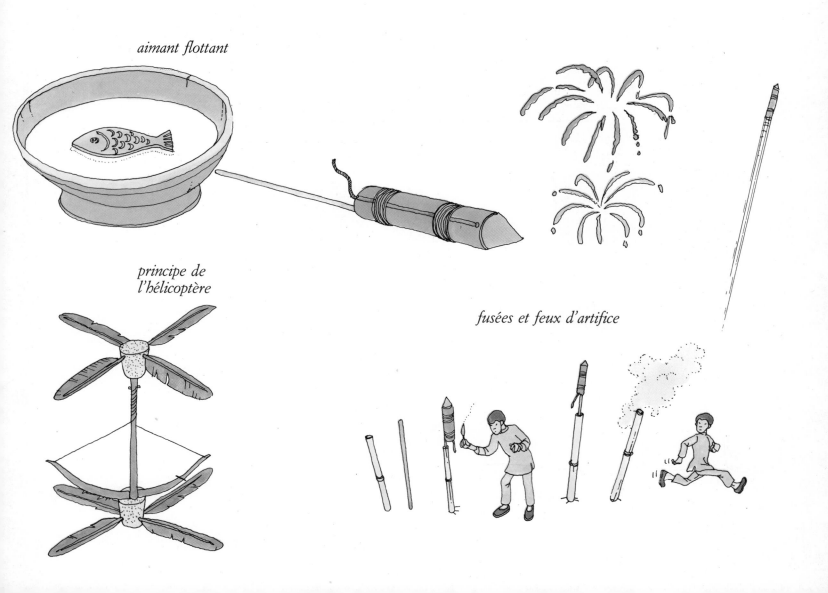

aimant flottant

principe de l'hélicoptère

fusées et feux d'artifice

DES MILLIONS DE CHINOIS

Il ne faut pas s'étonner si, durant de nombreuses années, les Européens restèrent sceptiques devant les descriptions de Marco Polo.

Il parle, en effet, d'un pays habité par des centaines de millions d'hommes, chiffre stupéfiant pour l'Europe du Moyen Âge, qui n'avait que quelques millions d'habitants. Et, face à l'immense masse des Chinois, il y avait la puissante armée des Mongols.

Marco Polo, ami de Kubilai, s'efforce d'être objectif : il nous décrit les Chinois plongés librement dans les trafics et le commerce, et

nous parle du sens de la justice et de la tolérance du Grand Khan. Mais il raconte aussi comment le peuple grondait contre les impôts et comment toutes les charges importantes de l'empire étaient aux mains des Mongols.

Moins d'un siècle plus tard, les Chinois réussirent à chasser leurs dominateurs, et c'est à ce moment-là que commença de régner une dynastie que nous connaissons sous le nom de Ming. Les Ming régnèrent pendant près de trois cents ans, et la Chine connut avec eux ses premiers rapports stables avec l'Europe.

LE VOYAGE DE RETOUR

Après tant d'années passées à la cour de Kubilai, Niccolò, Matteo et Marco Polo furent pris d'une envie irrésistible de retourner à Venise.

Ils avaient accumulé de grandes richesses et obtenu de grands honneurs, mais la Chine n'était pas leur patrie. Pendant ce temps-là, Kubilai s'était pris d'affection pour les Vénitiens et leur départ ne lui faisait guère plaisir. Chaque fois qu'on lui en parlait, il faisait grise mine.

Le voyage de retour commença sur une flotte de jonques. Ce voyage ne fut pas moins aventureux que celui de l'aller. Les voyageurs virent des terres inconnues, telles que Java, Sumatra et Bornéo, Marco Polo nous décrit des éléphants, des rhinocéros et « des hommes des bois avec une queue », qui étaient certainement de grands singes. Ils visitèrent Ceylan et l'Inde et arrivèrent finalement à Ormuz, en Perse.

C'est là qu'ils apprirent la mort de leur ami le Grand Khan.

Les Vénitiens furent de retour dans leur ville en 1295 : plus de vingt-quatre ans s'étaient écoulés depuis leur départ. Ils avaient passé tant de temps hors de leur patrie que tout le monde, à Venise, les croyait morts. Leur retour fut une stupéfaction. Marco Polo était parti gamin, il revenait homme d'âge mûr.

LE *LIVRE DES MERVEILLES DU MONDE*

Nous devons le célèbre *Livre des merveilles du monde* à une bien singulière circonstance.

Un an après son retour, Marco Polo fut fait prisonnier par les Génois, ennemis traditionnels de Venise, à l'occasion d'une bataille navale. Dans sa prison de Gênes, d'où il sortit au bout de peu de temps, il fit la connaissance d'un certain Rustichello et lui raconta son fabuleux voyage. Rustichello fut très intéressé et mit par écrit ce qu'il avait entendu. C'est ainsi que naquit le *Livre des merveilles du monde*, qui circula immédiatement dans toute l'Europe, accueilli, à la fois par une curiosité énorme et par beaucoup d'incrédulité.

Nous savons que Marco Polo fut un narrateur honnête et scrupuleux : tous les savants ont pu vérifier la précision de ses renseignements. Il fut aussi un observateur impartial des peuples et des civilisations différentes de la sienne. Il chercha toujours à comprendre les autres et ne porta jamais de jugement négatif sous prétexte que les coutumes de telle région n'étaient pas celles auxquelles il était habitué. L'idée de Marco Polo était, évidemment, d'écrire une sorte de guide pour les marchands ; il indiquait, par exemple, l'emplacement des villes traversées, le prix des marchandises que l'on pouvait y trouver et décernait des éloges aux rois hospitaliers.

Longtemps, aucun Européen ne retourna dans ces pays, mais la réputation du livre fut toujours extraordinaire. Nous savons, par exemple, que Christophe Colomb fut fasciné par les descriptions que Marco Polo avait laissées de Cipangu, c'est-à-dire du Japon ; une île décrite comme très riche et pleine d'or.

De nos jours encore, la lecture du *Livre des merveilles du monde* reste fascinante, tout comme elle l'était pour les marchands du Moyen Âge, son premier public.

Venise

Constantinople

Trébizonde

Laïas

Bagdad

Saint-Jean
d'Acre

Ormu